ZHONGGUO
DANGDAI
MEISHU MINGJIA
JINGDIAN
LIN YUEGUANG

中国当代
美术名家经典
林月光卷

主编　贾德江

目　录

北京工艺美术出版社

林月光　中国美术家协会会员，汕头美术家协会副主席，广东美术家协会理事。

作品入选第七届、第八届、第九届、第十届、第十一届全国美展；第三届、第四届全国画院优秀作品展；第一届、第二届全国人物画展。

作品荣获第十届全国美展银奖、首届全国美协会员精品展优秀奖、第二届广东省国画展银奖、第八届全国美展广东省铜奖、建党七十周年广东省美展铜奖。

多幅作品被中国美术馆、广东美术馆、广州美术馆、兰州美术馆等机构收藏。

画法自然与独到气象

贾德江

——感受林月光的乡土风情山水

三桥镇（局部） 2010年 纸本

秋涧（局部） 2010年 纸本

梅林湖之二（局部） 2010年 纸本

众所周知，汕头画院画家林月光一直以人物画名世，曾以荣获第十届全国美展银奖的骄人成绩而享誉画坛，人物画的声名正隆。近期，我意外地读到了他的几十幅山水画作品，表现出的浓浓乡土味和独特的文化地域特征以及生意奔宕的鲜活笔墨，完全不在传统文人山水画的蹊径之中，也与同代山水画诸家殊异。他的山水画，有极强的自我表达意识，延续了他的人物画一以贯之的关注现实的艺术精神，借助写生，激情四溢，以灵动万变的笔墨表现登山临水的所感、所得，在乱而有序的点线中描绘走村串寨的所见、所思，创造了以现实地域景物为基础的乡土风情山水的独到气象，把一度远离现实的近代山水画重新拉回到充满生机、光影与情感的人间。

林月光的乡土风情山水与历史上的南派、北派山水有着很大的不同，虽同样都是根植于特定的地理区域，但南派、北派山水的景物主要指的是林泉、丘壑，强调的是山水景致所显现的南北方的自然地理特征。而林月光的山水固然首先也要表现出不同乡土的山川地理，但它更为着意的还是其土地上生息的乡民的生活印迹。他通过山寨村落显出其民风，通过渔船错落显出其劳作方式，通过田园牧歌想象其欢鸣，通过江岸小镇想象其祥和……林月光乡土风情山水表现的是一方水土，它是《高原小城》的印象，它是《苗寨深深》的记忆，它是《紫山庭院》的老屋，它是《山雨初歇》的雨珠，它是《南海渔乡》的老船，它是《桑埔山下》的茅舍，它是《山居图》垅上泥土发散的芳香……林月光的山水旨趣，绝不在于传统习规的传递，也不是借诸前人笔下的那种曾被徐悲鸿嘲讽的千篇一律的"人造自来山水"，而是取自乡间大地，体验生活及采风写生的产物，追寻的是生活中的乡土味、实境感。在他的山水中，我们可以嗅到最普通、最淳朴的平民生活的气息。他以他的作品表明，当代山水画的景致表达，已经从古典"丘壑"的经营转向现实"景观"的表述；其景色构成，已经从"胸中"走向地上；其景观品格，已经从理想式走向现实式的生命状态。他的乡土风情山水，拉近了山水画与自然之间更为密切的联系，更新了山水画艺术的视觉感染力和亲和力，表现出一种由笔墨意境向现实意境的转化，由意象结构向现代视觉形式凸显与强化的转换。这种转变表明了林月光的艺术追求正在朝向一个新的高度，其特点突出地表现在以下几个方面：

其一是进入感。北宋郭熙在《林泉高致》中说，"可行可望，不如可居可游之为得"。在古人看来，"可居"、"可游"之地要胜过"可行"、"可望"之地，这种对景观的选择意识表明，古人对山水景物的评估，是以人介入风景的身心投入方式与参与程度为依据的。人介入风景的方式大体为两类，一是人在景中，可居可游；一是人在景外，可行可望。从这个意义上说，林月光以"人在景中"的立场，让观者身可居其间，心可与之同一。这种视角和心境，让人进入，如临其境，感同身受，耐人寻味。

这与文学史上的"乡土文学"的创作旨趣有些相同。只不过文学以"人"为主，通过写人、写事、写风俗、写历史等来描述发生在乡土上的一切，从而使乡土风情绘声绘色、曲尽其妙地表现出来；而林月光的乡土风情山水是以"景"为主，其角色是一些静态的山梁、土岗、民居、民用等，画面上的人物只能是点景式的表现，主要依靠对于乡土氛围的渲染，用房前屋后的秋山树影、村头田间的河塘林径等来讲述一个饶有地方风味的乡野故事。它不像北派山水那样壮伟崇高，也不似南派山水那样烟云变幻，他就是寻常百姓家推开门就可以看到的普通景致。因而，林月光的山水最为贴近土地，最为亲切可人，最接近于平民式的表达，应该是穿透景观而直抵那里的人文气质与乡土精神的。

其二是涂写性。林月光作品不只是在点线书写中表现出相当深厚的传统笔墨功底和造型能力，更重要的是他能够在书写中横涂竖抹，纵横恣肆，自由发挥，并不在意笔笔有出处，处处有来头。他的笔墨随机、放松，富于行草般的书写性，追求的是解衣般礴、乱头粗服的率意之美，但又非是无度的粗疏和恣纵的轻狂。

这里牵涉到一个造型准确的写实与造型不求准确而同样有表现力的写意问题。造型准确是写实的基本要求，否则便不能再现客观的真实，但不准确的造型如果表达了鲜明的感受，实现了得意忘形的主观表现的真实，则符合了写意要求。林月光的乡土风情山水偏重于"不求形似求生韵"的后者，并不因为接受了宋人写实传统，而无视于元以后抒情写意的另一传统，所以他的山水融入了松活灵动的笔意、乖张变形的造型，他想创造一种块面结构融入点线书写结构、

金风 *2010年 纸本 68.5cm × 68.5cm*

笔意符号中和造型意图的新图式，做到写意与写实的兼容。说到底，笔墨之于表达，若没有对笔墨系统进出在我、任用在我的自信和自由，若没有写实手段的精能妙造，没有形似的造型功夫，就没有敢于涂写的心态和胆魄。

林月光正是从生活入手的艺术实践中，既继承宋人古典写实传统的精华，又继承元以后文人画写意传统的妙义，并且以写生为基础，以表现感受的写意为主导，在大胆放笔的写意手法中追求粗中有物、放中有收的心手相应，从而在真实再现“进入感”的表现中强化主观感受，以涂写本身的表现力实现了笔法的丰富与变化，提升了笔墨的品质。

其三是构成性。在林月光的乡情山水中，主要指古人称之为“布局”今人称之为构图的技巧。它应该是“进入感”和“涂写性”之间联系的纽带。在这一方面，林月光探索出适合独特景观与个性化笔墨的个人方式。从表面上看，他十分重视引进西方的平面构成和色彩构成意识，注重景物大的对比与点、线、面、色大的冲突，往往具有摄人心魄的张力，但认真解读，他的构成意识恰恰与传统布局中的“势”及“开合起伏”巧妙结合在一起。所谓“势”实际是指运动方向，而“开合起伏”的节律又加强了“势”的表现，整个画面神采飞动，全以乱而不乱的笔墨为支撑。他像傅抱石于山水画，尤重“动”势，以“动”的审美眼光来审视乡土景观，无疑把握到了山水画的精神核心。传统画论所谓“气韵生动”首先强调的就是绘画的生命意识。从“动”的审美视角来发掘山水画的生命感，乃是我读林月光的乡土风情山水时眼前一亮和触目惊心的卓荦之笔，也是我觉得林月光可以继续推进的可能性之所在。正是林月光把构成对形体的强化与表现自然运动与感情运动的势融合为一，所以他的作品有效地表现了大自然永恒的活力和对时代脉搏的独特感受。

自古以来，山水就作为先民可望可游可居的生存环境被画家讴歌。林月光继承了这一优良传统，也使我们感到他的作品“立于前人之外”的变化。这种变化所以独特动人，在于林月光创造了不与人同的意境：民间的、乡土的、平民风味的山水，与儿时的记忆、乡土的情结相联系，产生绵绵的眷念，使画面既有一种逼人的围合感，又有一种无序的萦绕感，并不只是纯粹风情式的选择与强化，从中表现出画家在物我合一、山水仁智、笔墨逍遥之中难以释怀的心境。而这一点正是林月光作品充满生命力的重要之处。因此可以说，林月光的山水是我们研究传统绘画与当代发展空间中的一个既传承又发展的典型范例。

2012 年 6 月 10 日于北京王府花园

古木幽亭

2009 年　纸本　138cm × 69cm

抱云三亭

2009 年　纸本　139cm × 69cm

高原小城 *2010年 纸本 55.5cm × 56.7cm*

苗岭云飘 *2010年　纸本　69.6cm × 138.2cm*

那一条清水河 *2010年　纸本　69cm × 138cm*

神农架之秋

2009年　纸本　138cm × 69cm

赶集图

2010年　纸本　139.3cm × 69.3cm

山月 *2010年 纸本 90.4cm × 76cm*

紫山庭院 *2010年 纸本 56cm × 56cm*

南海休渔

2009年　纸本　139cm × 68cm

林亭幽泉 *2010年　纸本　70cm × 138cm*

南山深处 *2010年　纸本　70cm × 138cm*

秋池
2009年 纸本
131cm × 70cm

五里坡

2009年　纸本　138.5cm × 69.2cm

苗寨深深 *2010 年 纸本 83.5cm × 76.5cm*

山雨初歇
2010年　纸本
103cm × 69.5cm

山镇 2010年 纸本 55cm × 55cm

三桥镇 2010年 纸本 53.3cm × 212.7cm

春来遍是桃花水 2010年 纸本 53.3cm × 212.7cm

山居图之一 *2010年 纸本 71cm × 68cm*

故乡月 *2010年 纸本 85cm × 68.5cm*

山居图之二 *2010年 纸本 71cm × 68cm*

古城酒香

2009年　纸本　139cm × 69cm

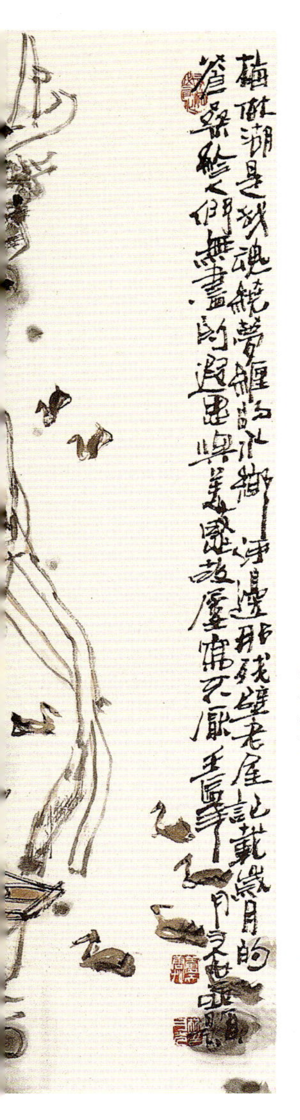

梅林湖之一
2010年 纸本 68.5cm × 138.5cm

梅林湖之二
2010年 纸本 68.5cm × 138.2cm

苗岭烟岚图
2007年 纸本
138.5cm × 69cm

秋涧 *2010 年　纸本　51cm × 181.5cm*

牛田洋 *2010 年　纸本　51cm × 181.5cm*

南海渔乡 2010年 纸本 68.7cm × 138.2cm

云岭牧歌 2010年 纸本 69cm × 139cm

神农架农家
2009年 纸本
69cm × 138cm

韩江渔家 *技2010年　纸本　69cm × 139cm*

江岸 2010年　纸本　57.2cm × 54.5cm

桑埔山下

2009年　纸本　138.3cm × 69.3cm

山镇渔歌

2012年　纸本　139cm × 69cm

梅岭客家

2012年　纸本　133cm × 70.4cm

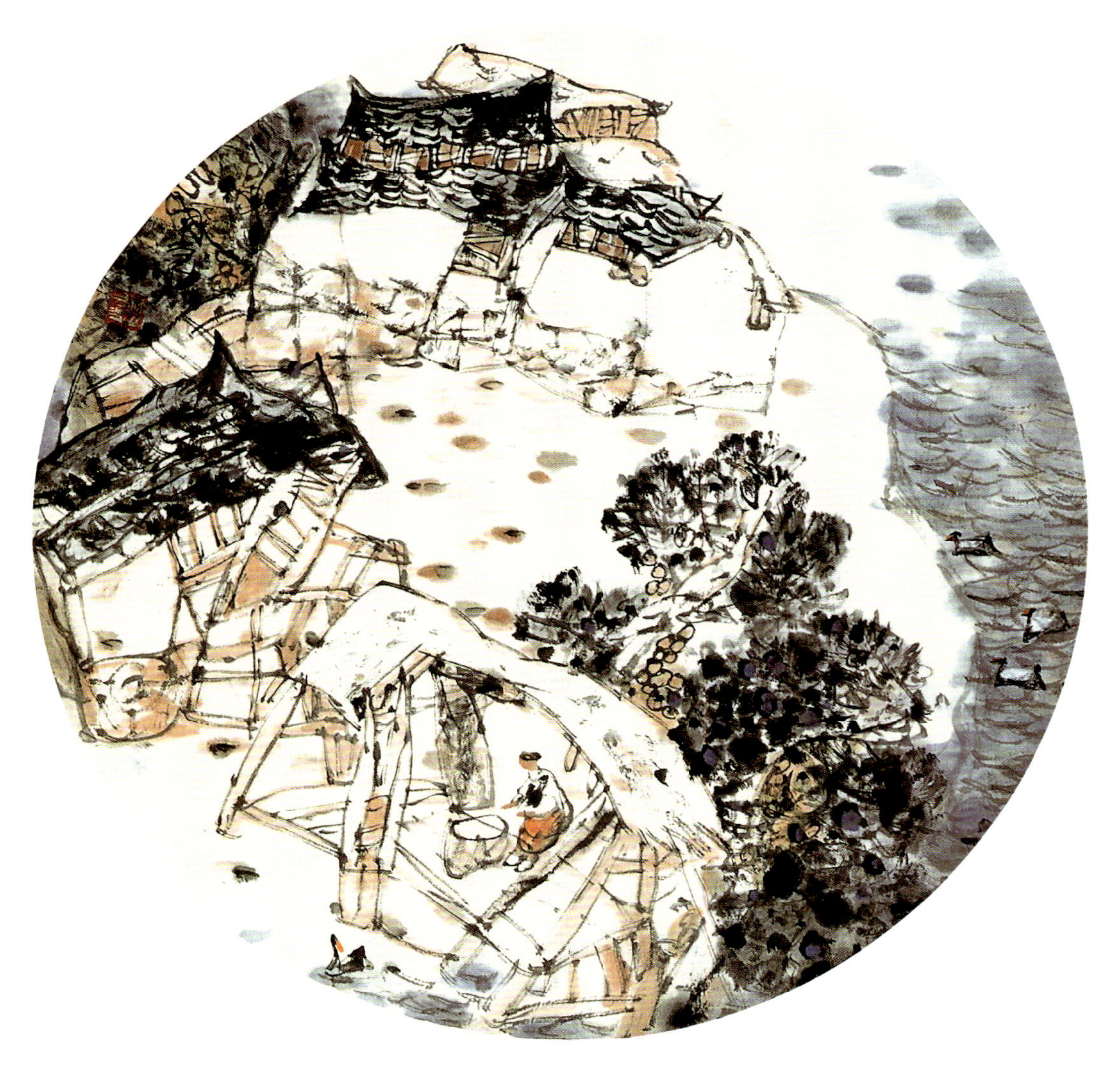

舍南舍北之三

2010 年　纸本　直径 53cm

舍南舍北之二

2010 年　纸本　直径 53cm

舍南舍北之一

2010年　纸本　直径53cm

舍南舍北之四

2010年　纸本　直径53cm

和平镇

2012年　纸本　138.5cm × 70.2cm